Kaaercher, Karl

Handzeichnungen von Karl Kaercher
fuer die Mythologie und Archaeologie

Kaaercher, Karl

Handzeichnungen von Karl Kaercher fuer die Mythologie und Archaeologie

Inktank publishing, 2018

www.inktank-publishing.com

ISBN/EAN: 9783750147003

All rights reserved

HANDZEICHNUNGEN

VON

KARL KÄRCHER

FÜR

die Mythologie und Archäologie

DES

klassischen Alterthums.

ERSTER HEFT.

MYTHOLOGIE IN 13 TAFELN.

KARLSRUHE

BEI GOTTLIEB BRAUN.

1825.

4

INHALT:

Tab. I.

Tab. II.

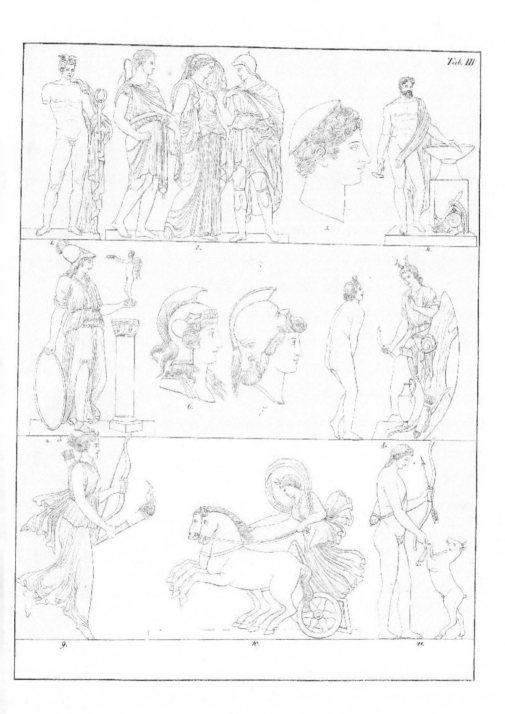

Tab. III

Tab. IV.

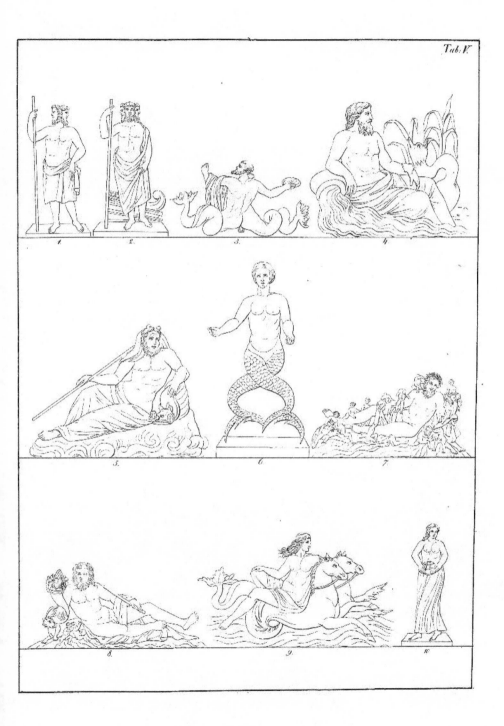

Tab. V.

Tab. VI.

Tab. VII.

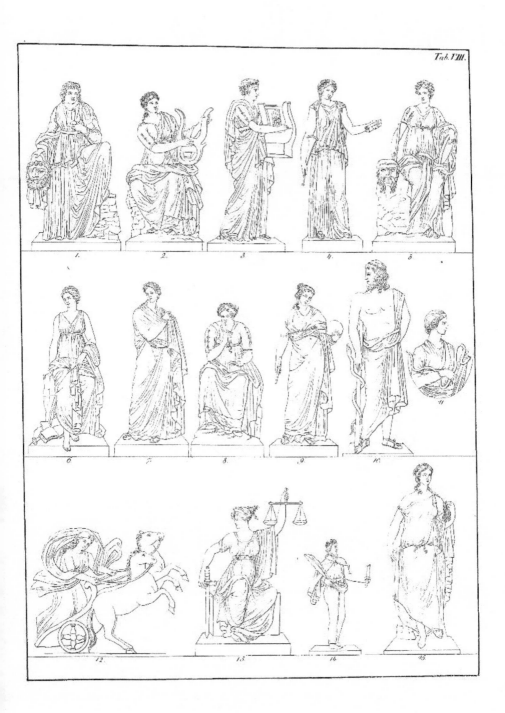

Tab. VIII.

19

Tab. IV.

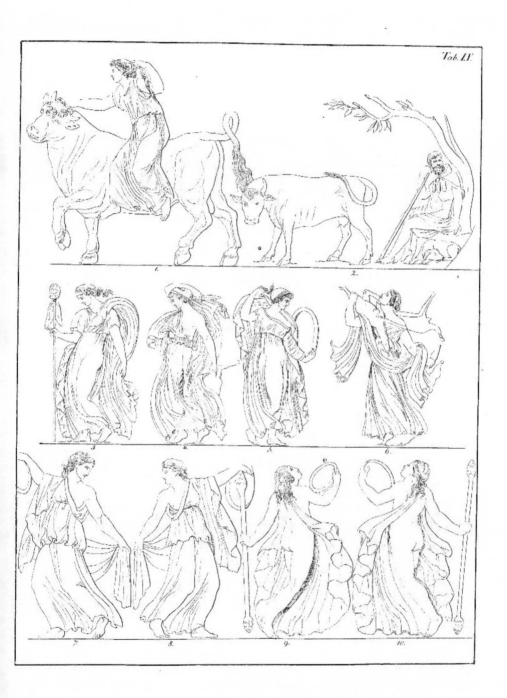

Tab. X.

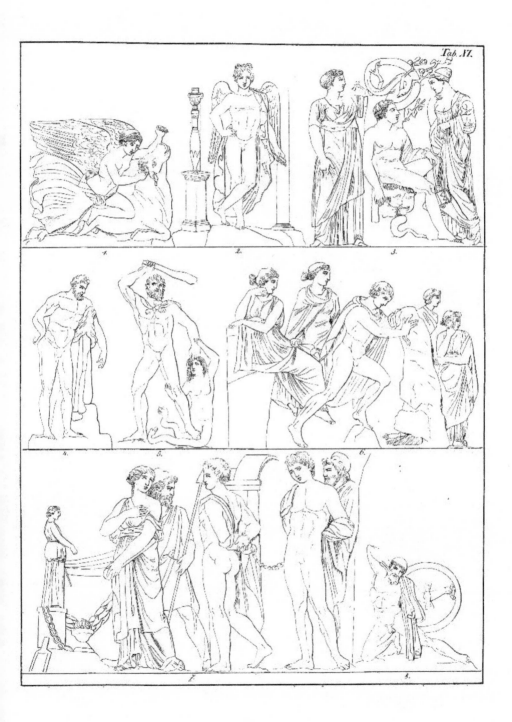

Tab. XV.

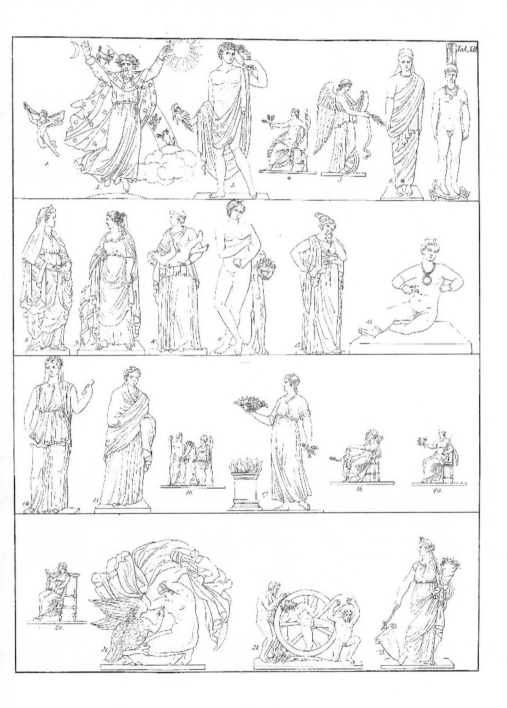

Tab. XIII.

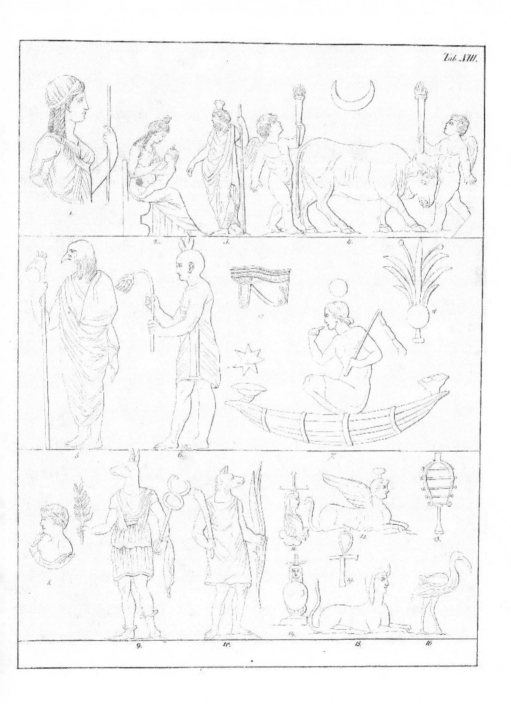

HANDZEICHNUNGEN

VON

KARL KÄRCHER

ZU DESSEN

Handbuch der Mythologie und Archäologie

DES

klassischen Alterthums.

,,,,,,,,,,,,,,,,,,,,,,,,,,,,,,

ZWEITES HEFT.

KRIEGS- SCHIFFAHRTS- UND FUHRWESEN IN 14 TAFELN.

INHALT.

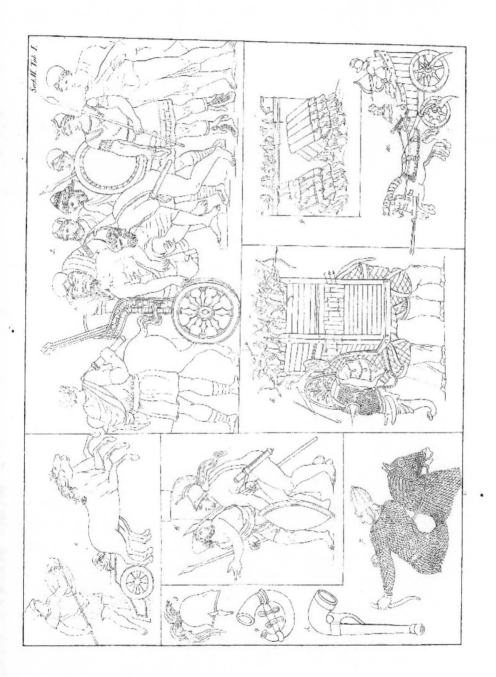

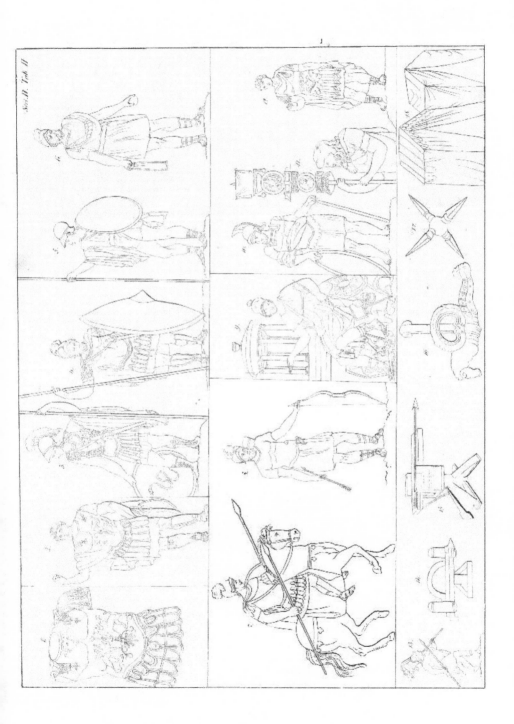

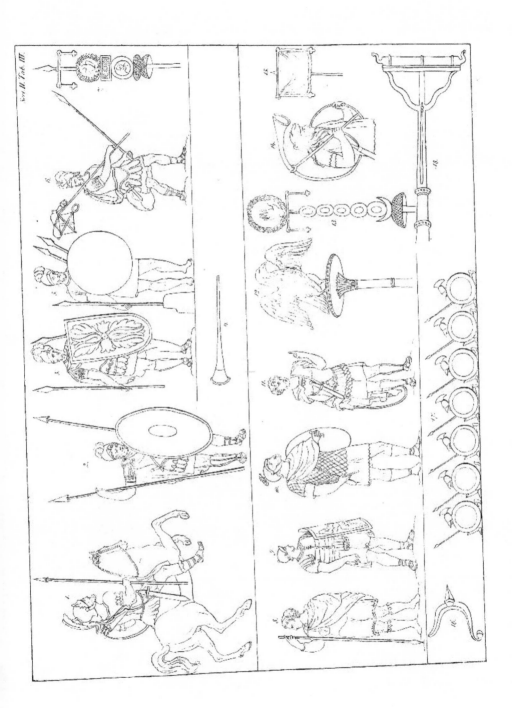

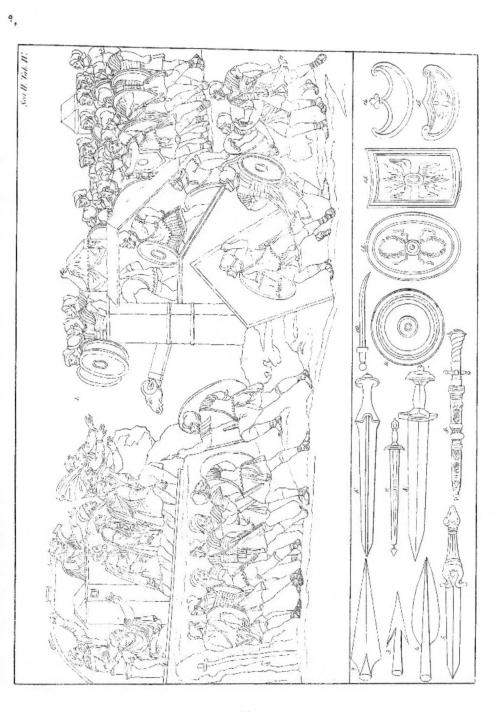

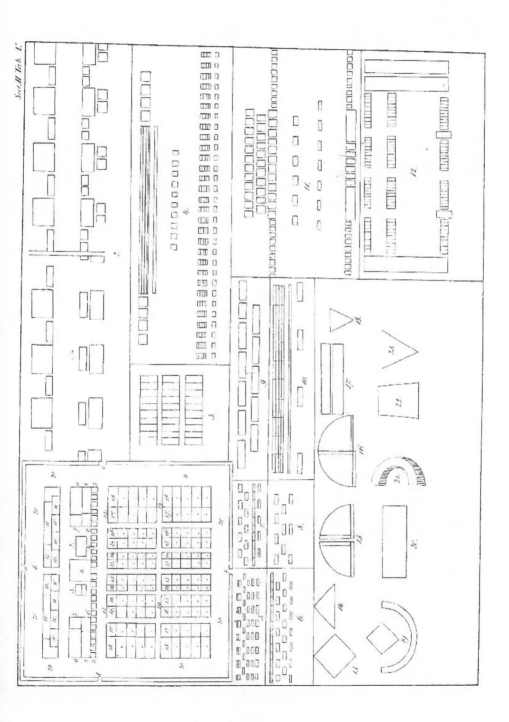

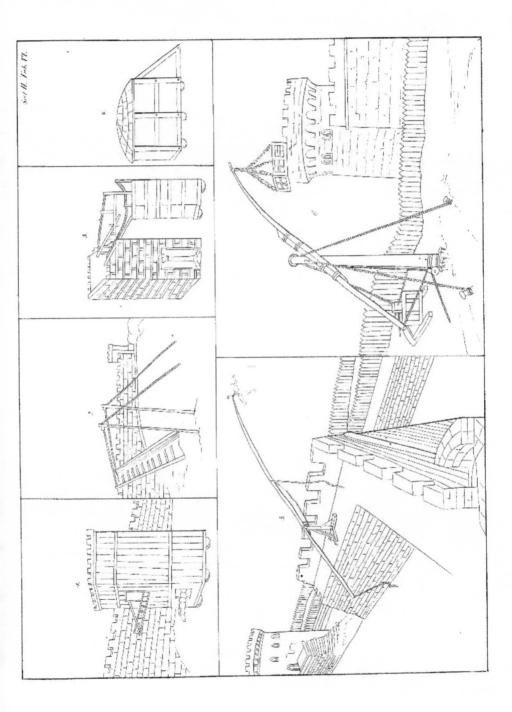

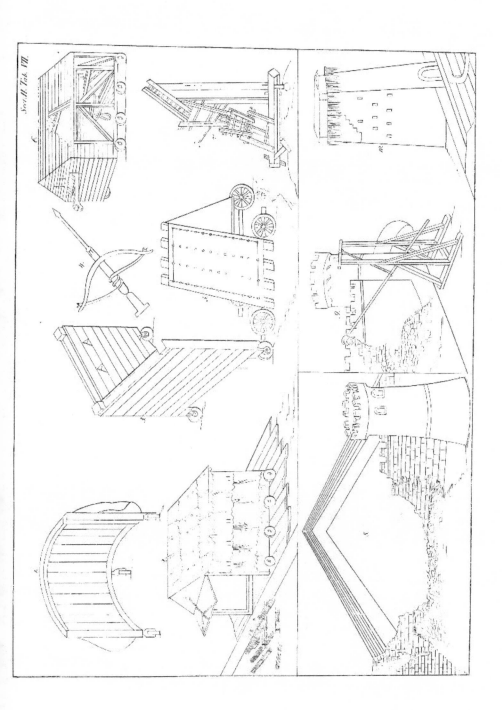

45

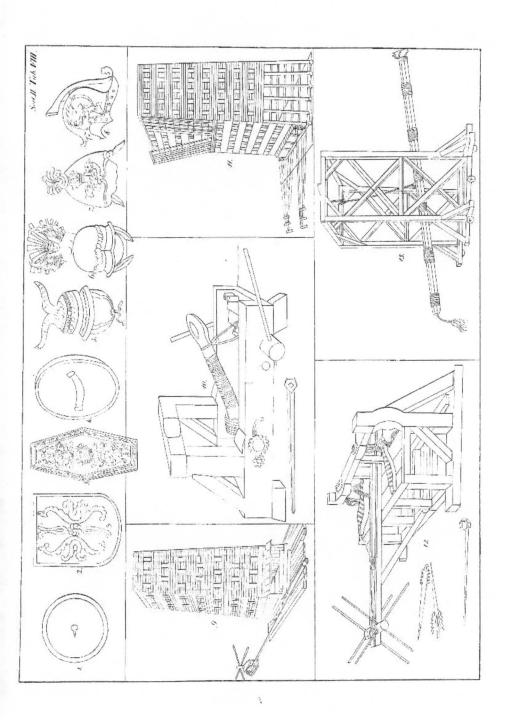

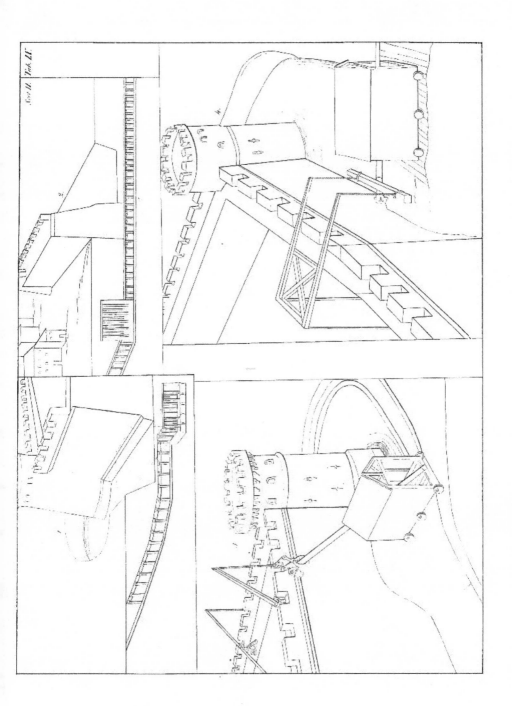

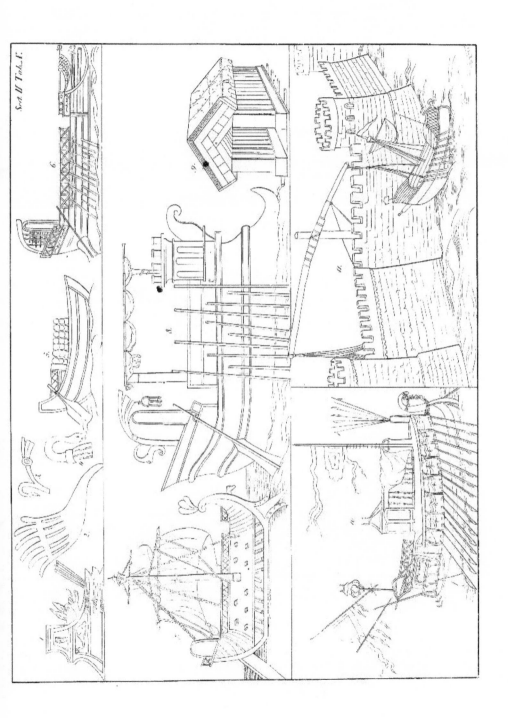

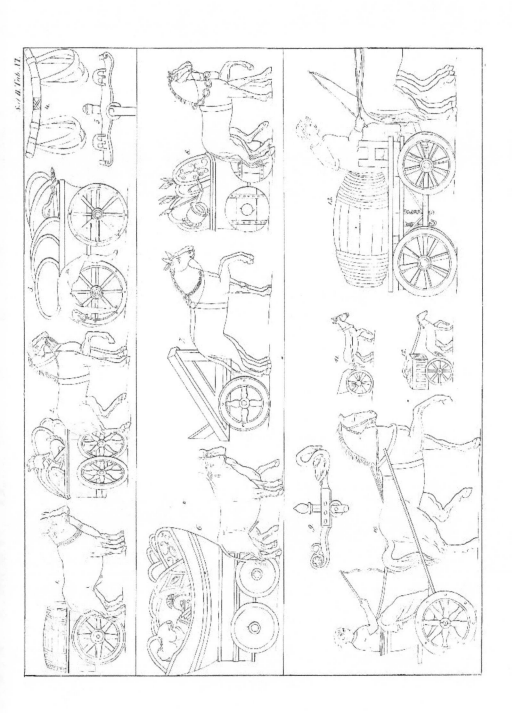

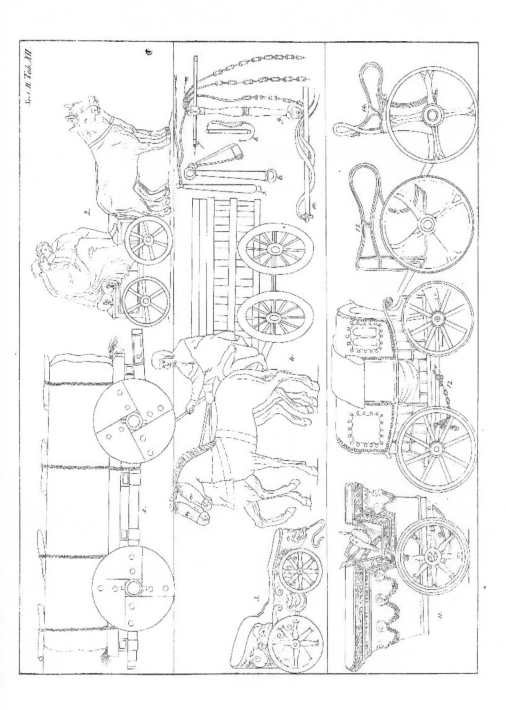

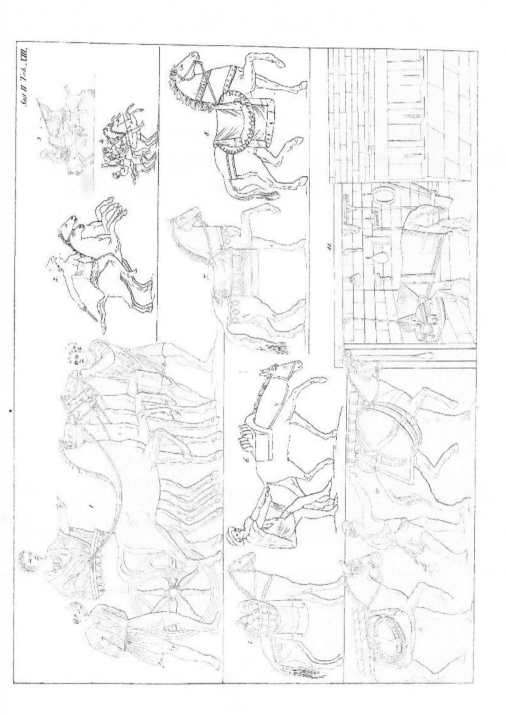

HANDZEICHNUNGEN

VON

KARL KÄRCHER

ZU DESSEN

Handbuch der Mythologie und Archäologie

DES

klassischen Alterthums.

,,,,,,,,,,,,,,,,,,,,,,,,,,,,,,

DRITTES HEFT.

HAUSWESEN IN 11 TAFELN.

KARLSRUHE

BEI GOTTLIEB BRAUN.

1825.

INHALT.

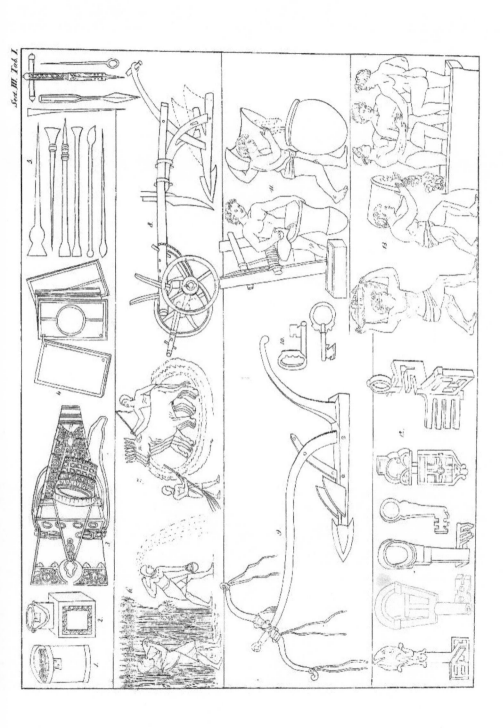

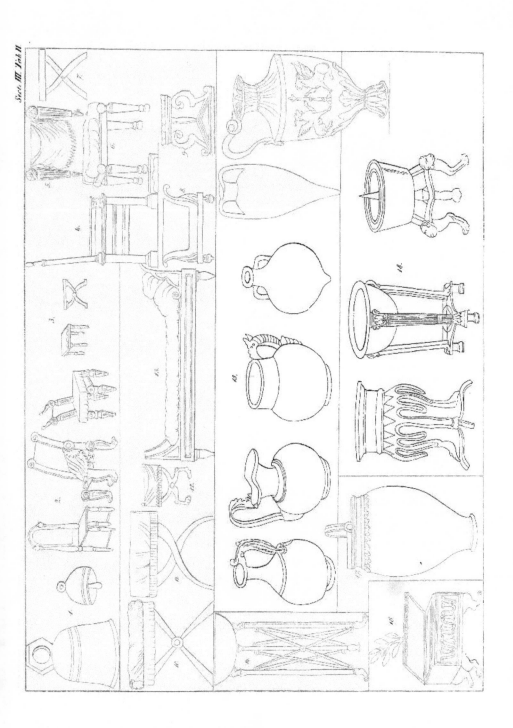

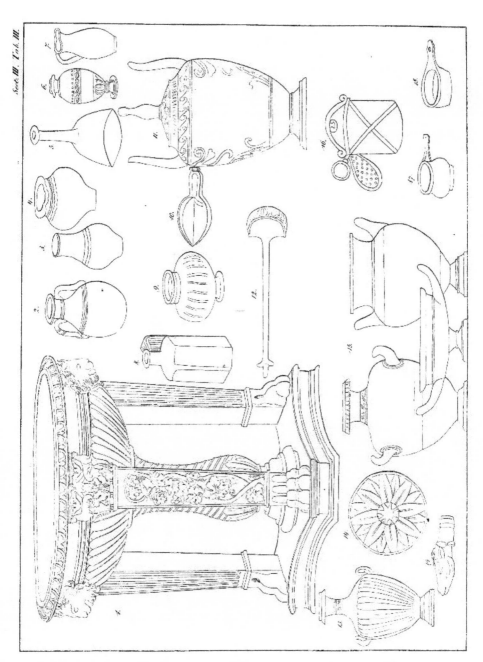

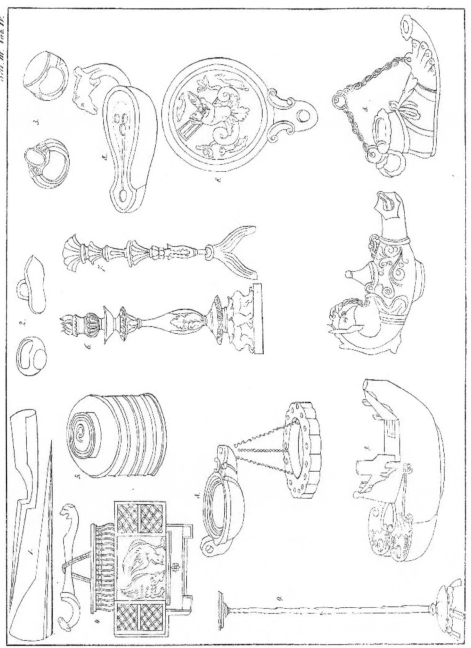

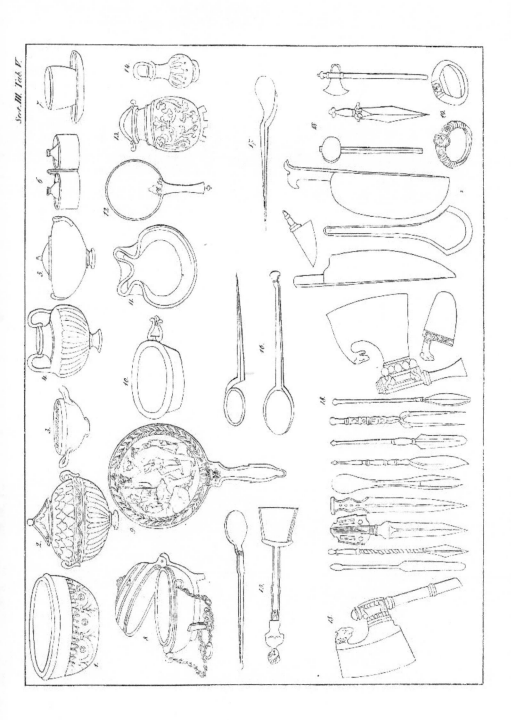

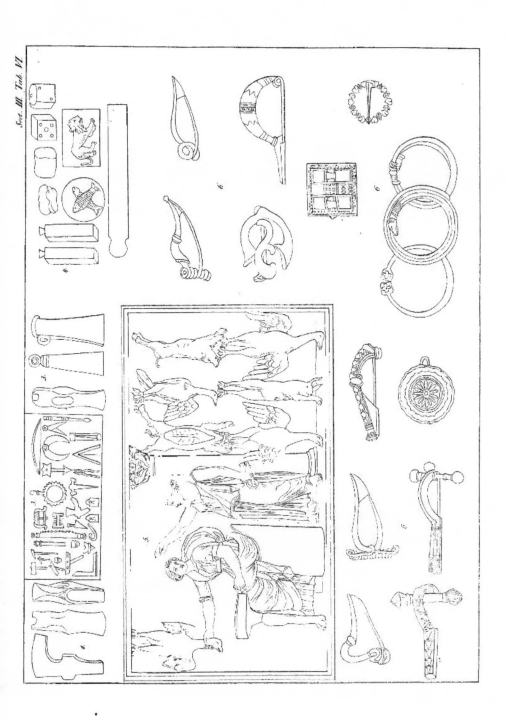

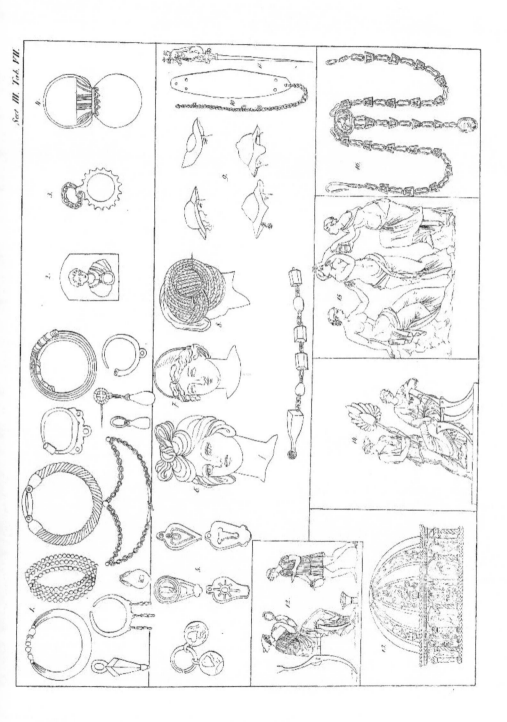

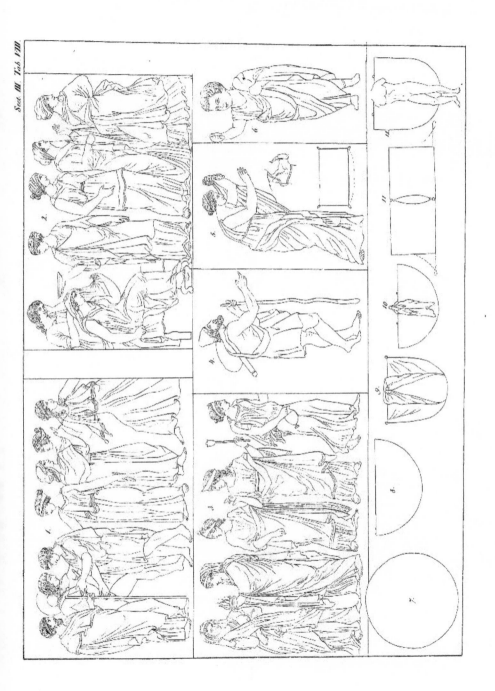

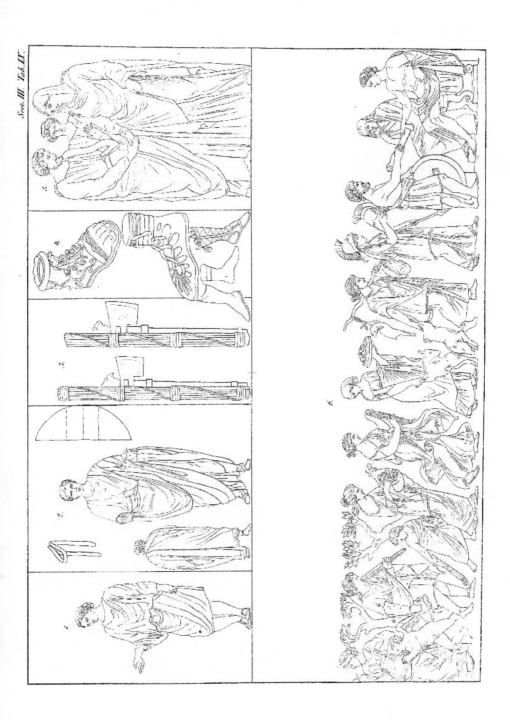

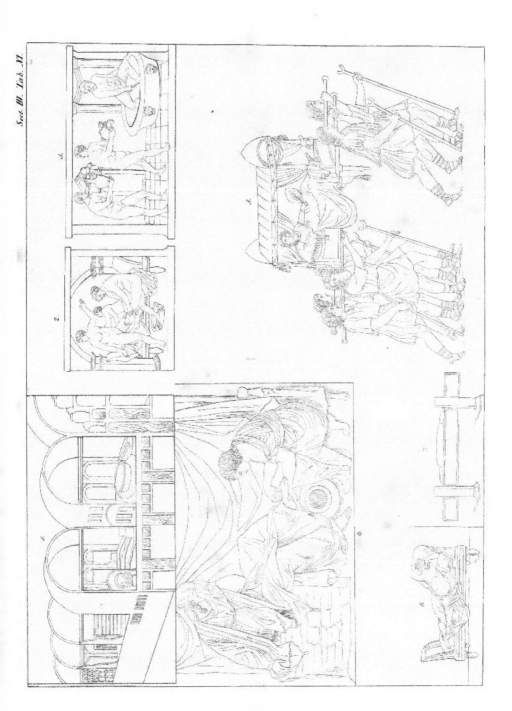

HANDZEICHNUNGEN

VON

KARL KÄRCHER

FÜR

die Mythologie und Archäologie

DES

klassischen Alterthums.

,,,,,,,,,,,,,,,,,,,,,,,,,,,,,,,,,,

VIERTER HEFT.

BAUWESEN IN 12 TAFELN.

KARLSRUHE

BEI GOTTLIEB BRAUN.

1825.

INHALT:

86

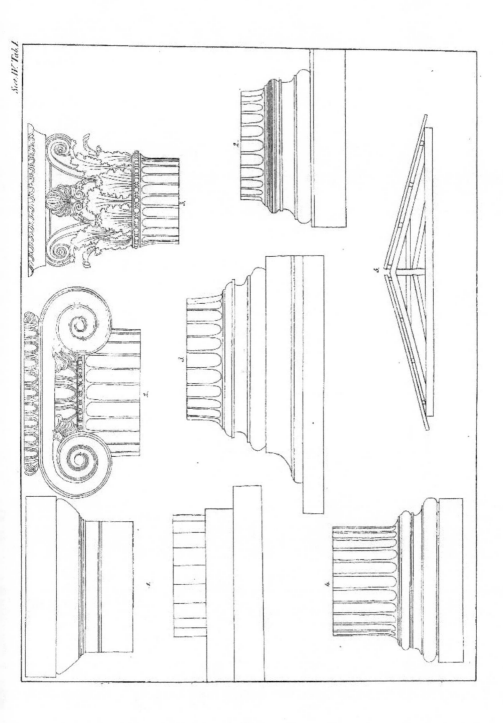

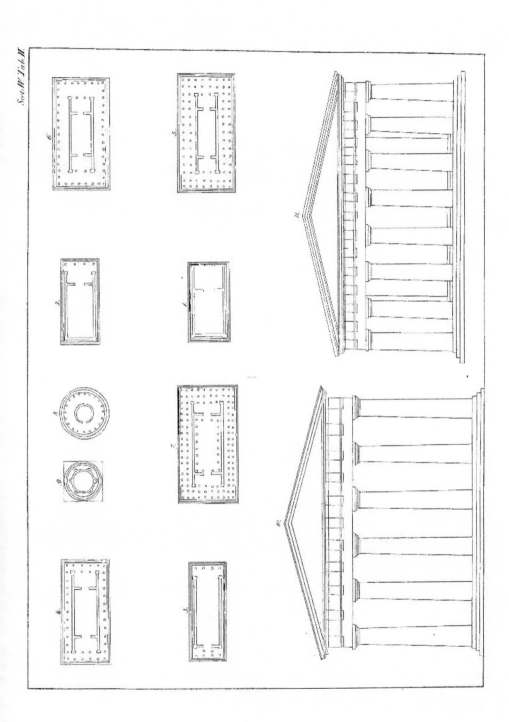

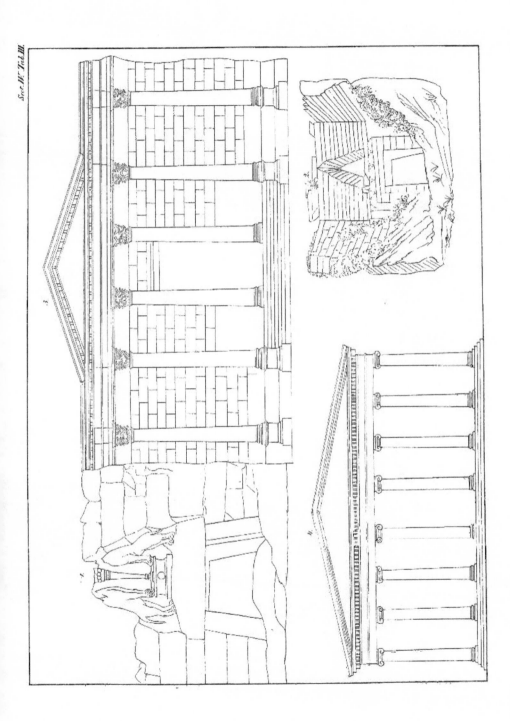

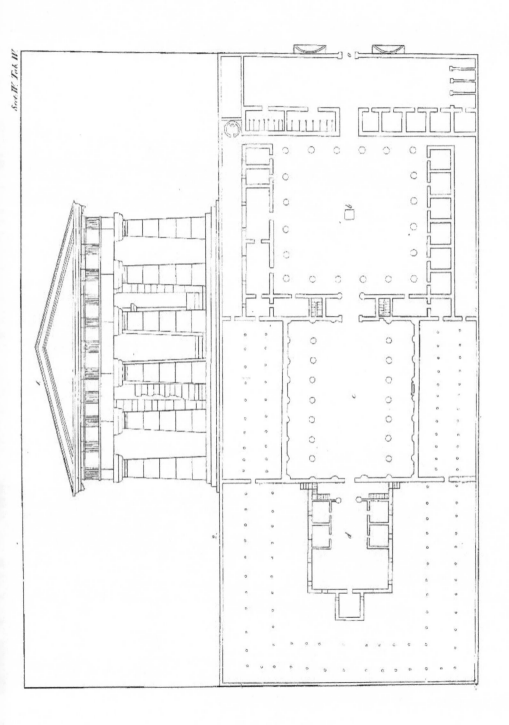

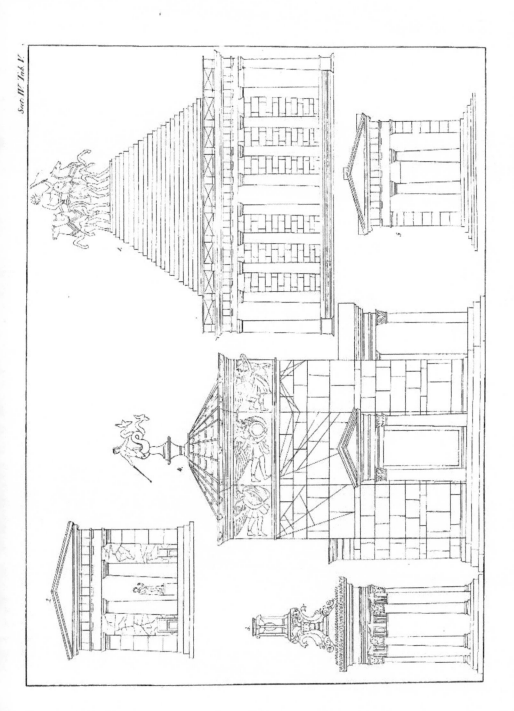

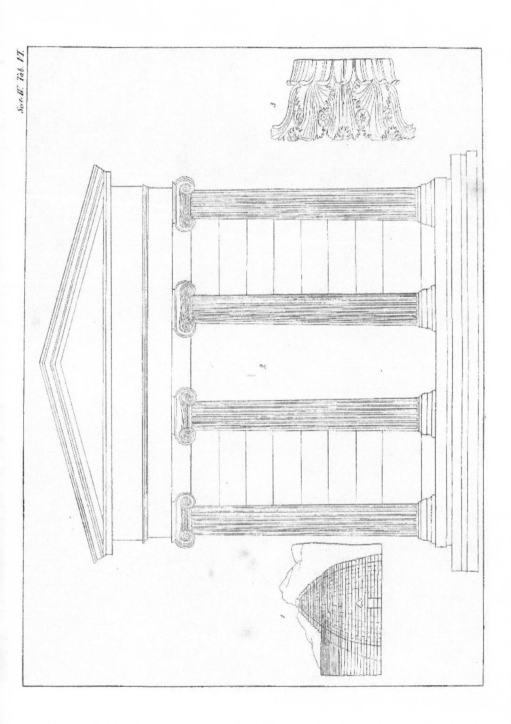

Sect. IV. Tab. 171.

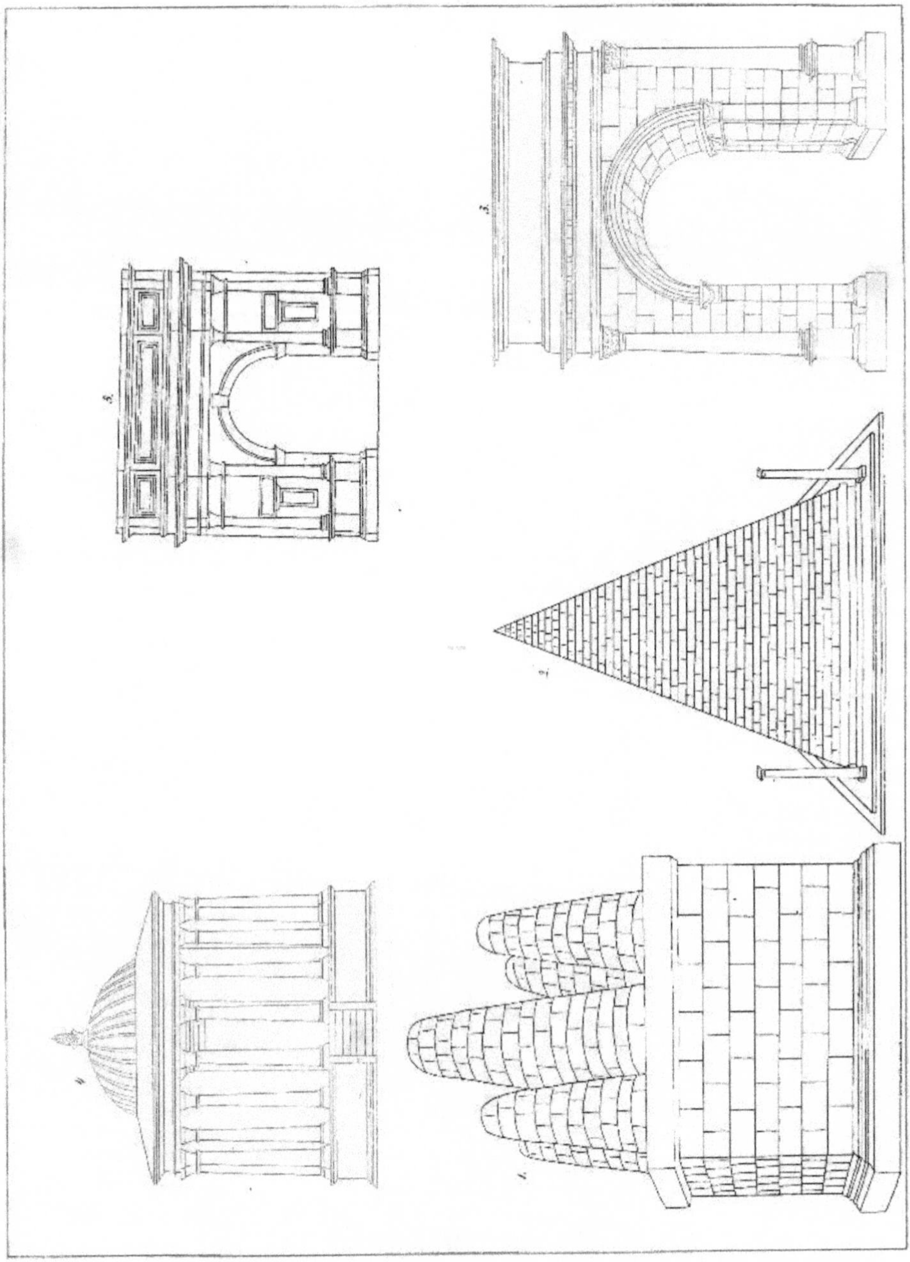

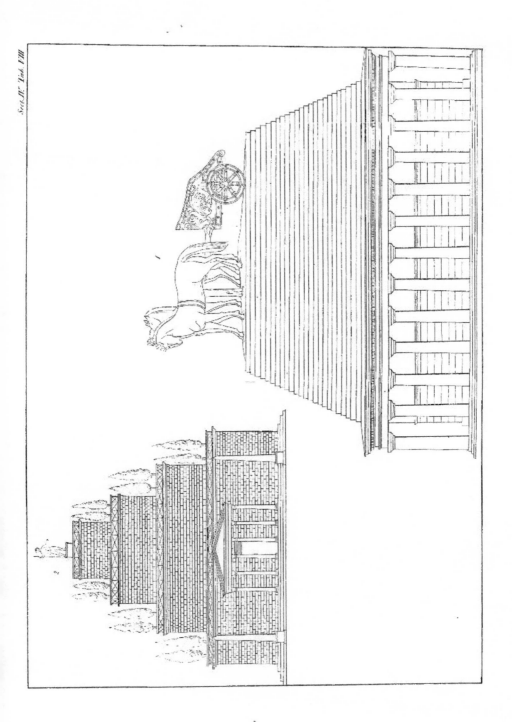

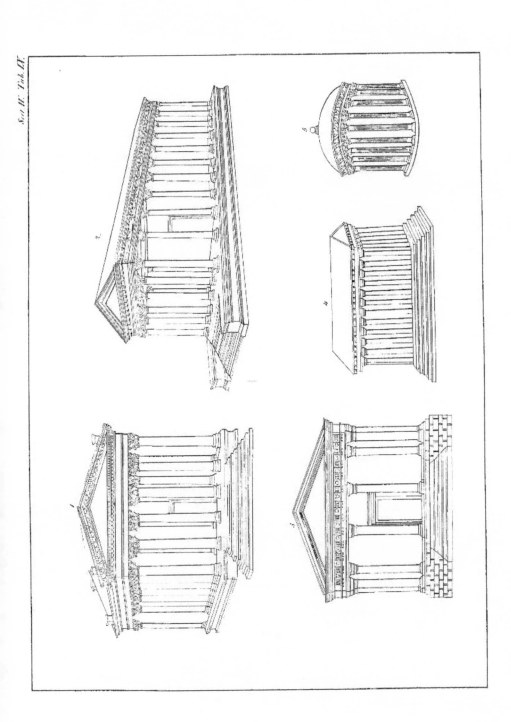

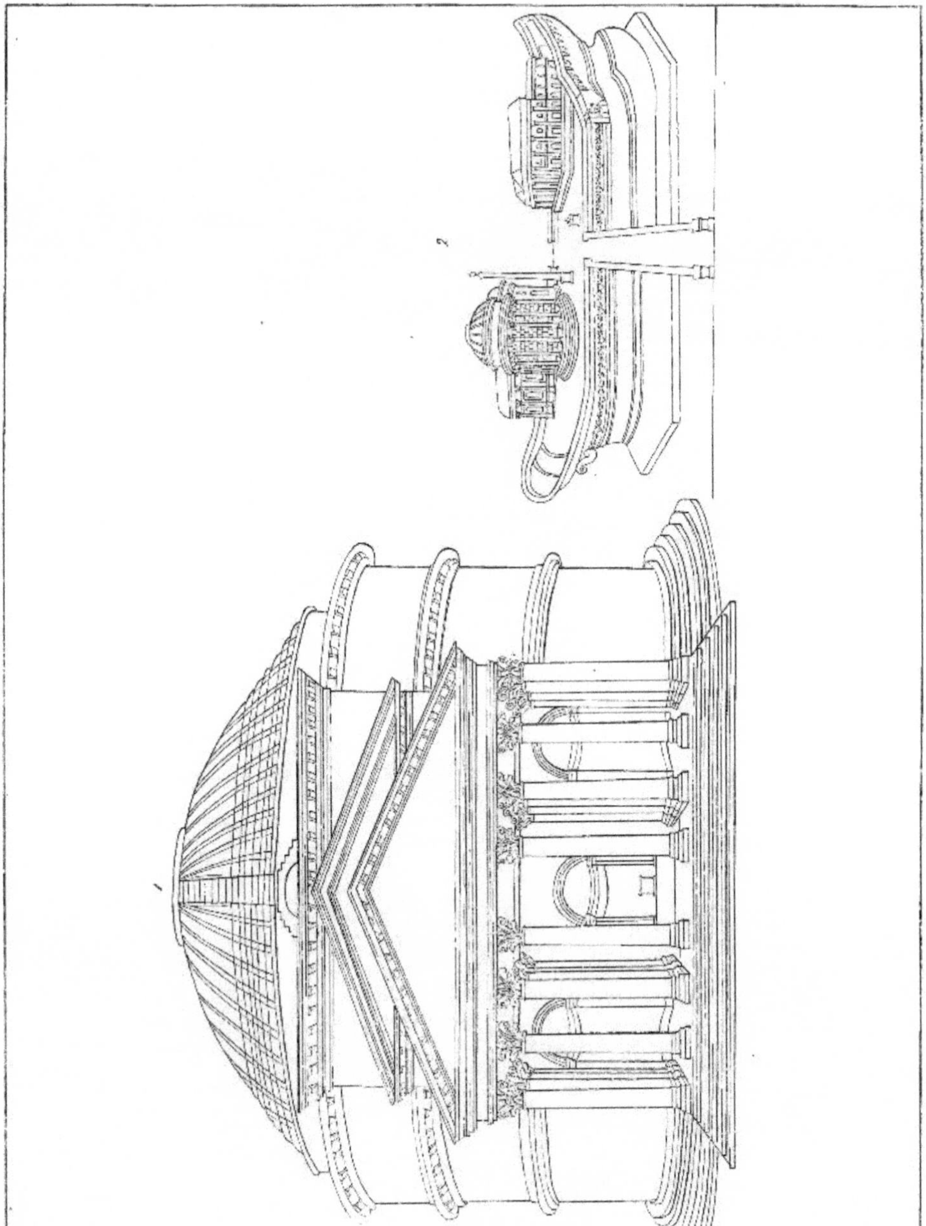
1
2

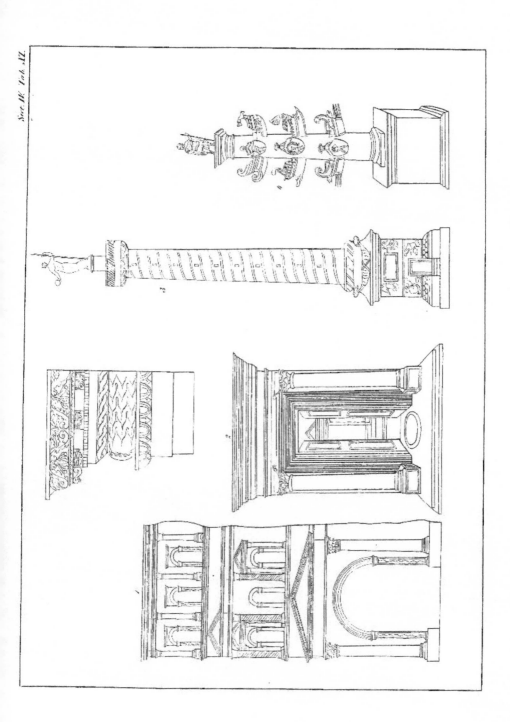

1.

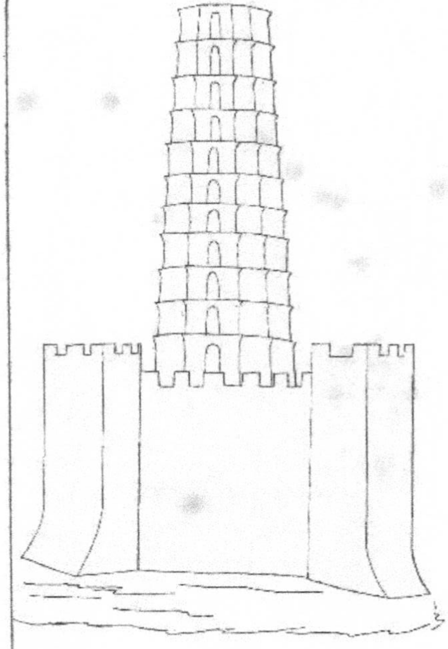

2.

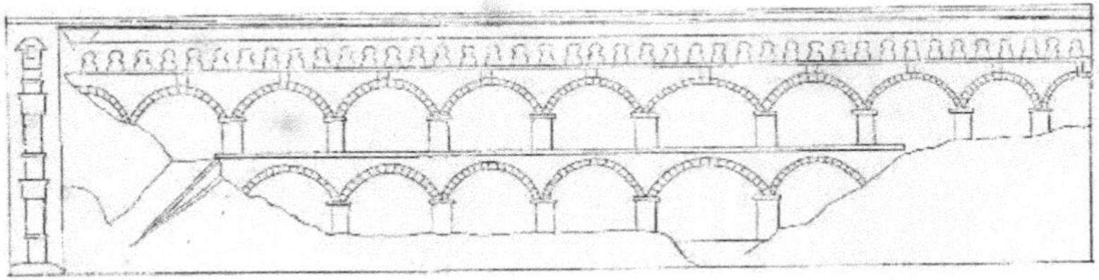

3.

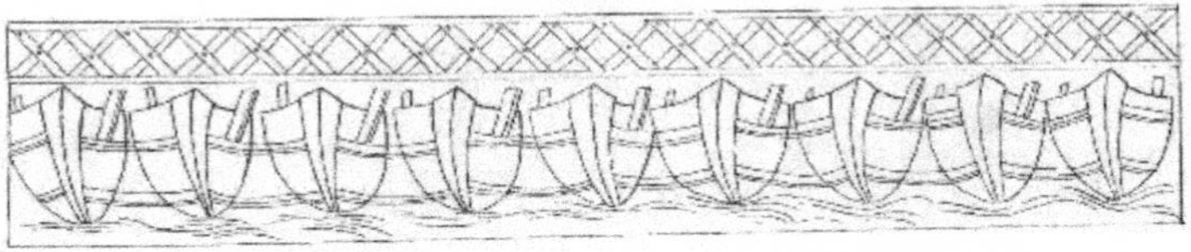

4.

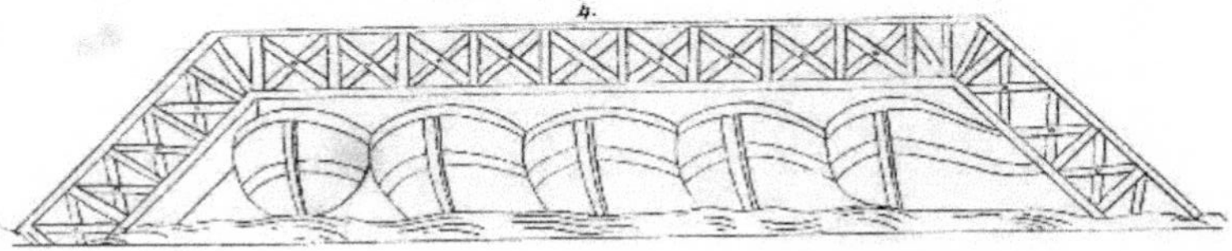

HANDZEICHNUNGEN

VON

KARL KÄRCHER

ZU DESSEN

Handbuch der Mythologie und Archäologie

DES

klassischen Alterthums.

,,,,,,,,,,,,,,,,,,,,,,,,,,,,,,

FÜNFTES HEFT.

FESTLICHE SPIELE , VERGNÜGUNGEN , ÖFFENTLICHE UEBUNGEN, OPFER UND
PRIESTER, NEBST EINEM ANHANG AUS DER MÜNZKUNDE IN 12 TAFELN.

KARLSRUHE

BEI GOTTLIEB BRAUN.

1825.

INHALT.

112

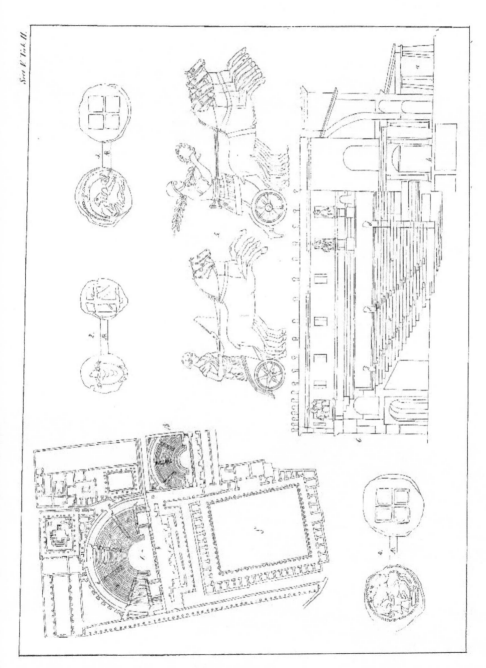

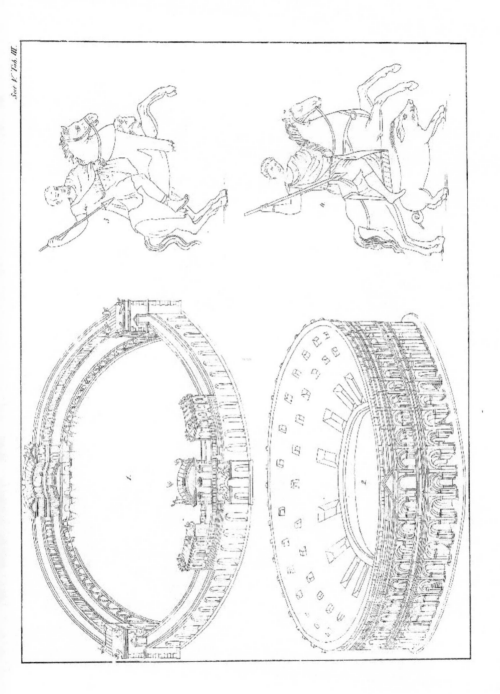

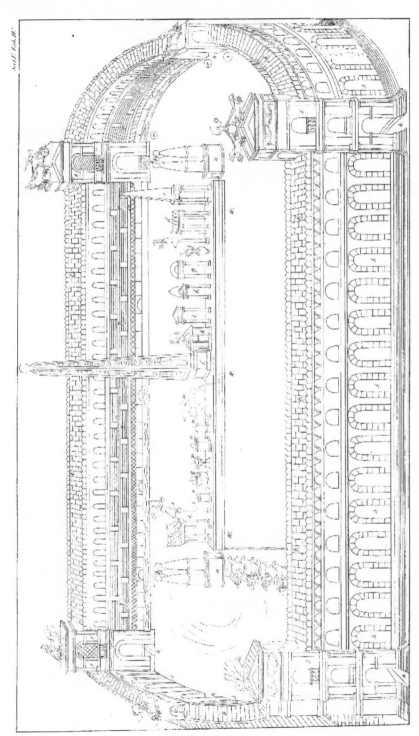

119

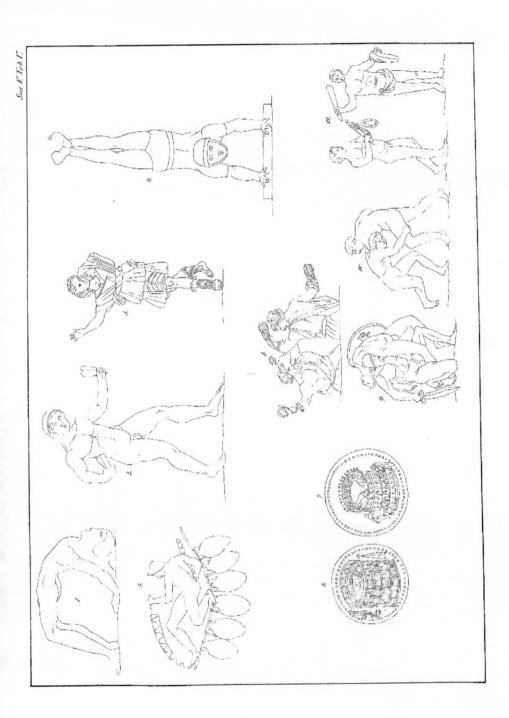

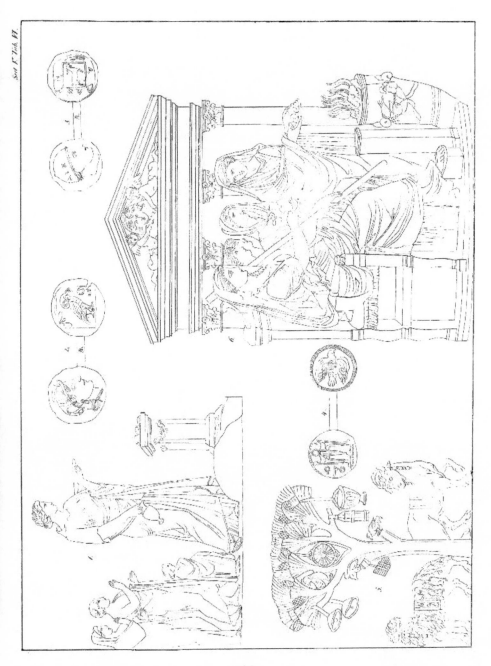

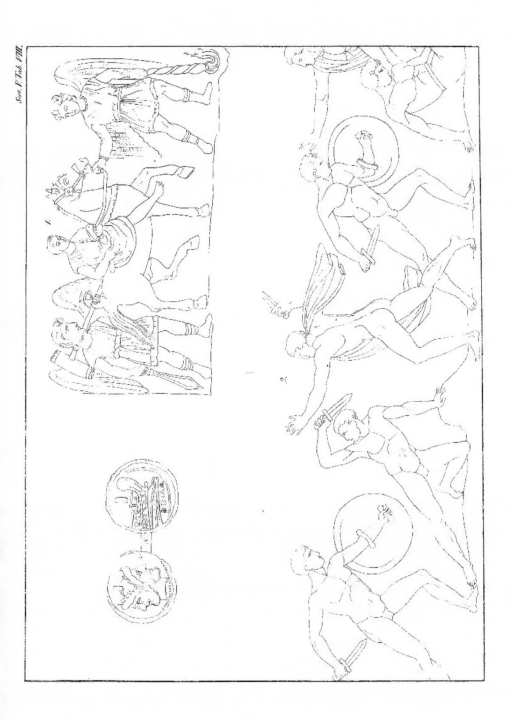

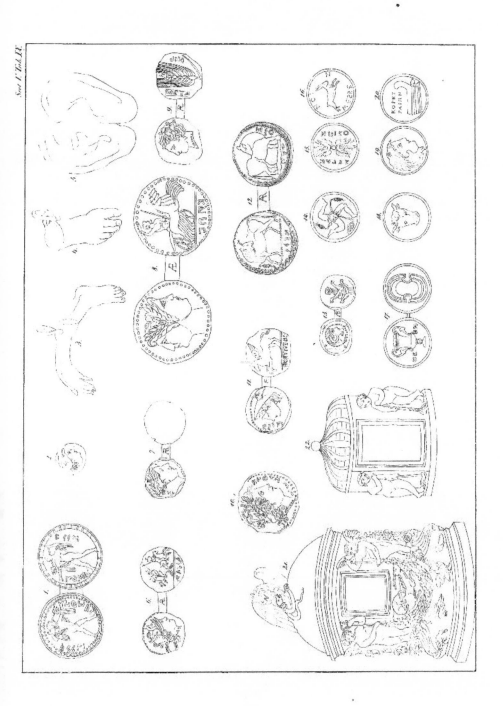

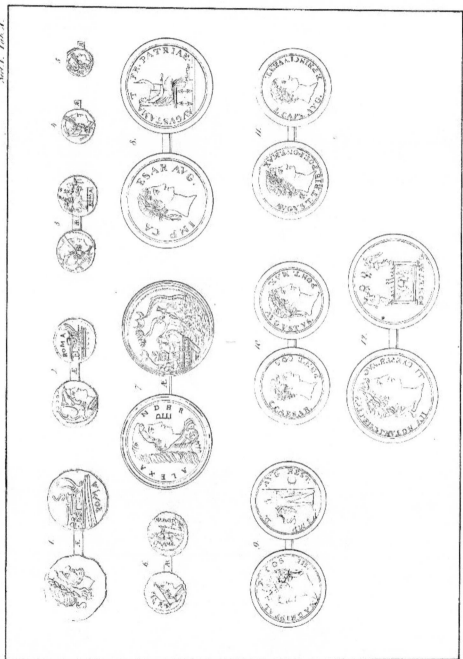

1.
S C
2.
S. C.
3.
DRVSILLA
S. C.
4.
S. C.
5.
S. C.
MANIS
6.
CAESAR AVGVSTVS
7.
S C.
AVGVSTI
8.
AVG.
S. C.
9.
S. C.
10.
AVGVSTVS
SICILIA
11.
S C

CPSIA information can be obtained
at www.ICGtesting.com
Printed in the USA
BVHW031443140819
555860BV00007B/825/P

9 783750 147003